En hommage à nos ancêtres algonquiens, iroquoiens,
métis et inuits qui ont toujours contribué, grâce à leur courage,
leur ténacité et leur savoir-faire, à faire de notre pays ce qu'il est aujourd'hui.

Michel Noël

Les mots suivis d'une étoile sont définis dans le lexique page 31.

JE DÉCOUVRE
ET JE COMPRENDS

Les Iroquoiens

AUZOU

Je suis de bœufs, de charrues
et de mains travailleuses
Je suis de champs immenses,
de semences et de récoltes.
Je suis de corps vaillants et
de grandes fêtes d'abondance.
Mes racines s'enfoncent dans la terre que
mes aïeux ont labourée depuis leur arrivée
en Nouvelle-France.
Je m'appelle Anoki et j'appartiens au peuple
de la grande famille iroquoienne.
© BGSmith / Shutterstock.com

Avant-propos

Nous désirons partager avec toi l'histoire de ce peuple courageux, son amour et son respect envers la terre. Il y a plusieurs siècles, mes ancêtres ont pris racine sur le territoire de son peuple. Aujourd'hui, notre union témoigne des échanges qui ont mené à construire des ponts entre nos deux nations.

Au Québec, les courges annoncent l'arrivée de l'automne. Ce matin, au marché, il y en avait des tonnes ! Nous avons vu des citrouilles géantes, des potirons, des potimarrons et plein d'autres courges aux formes et aux couleurs variées. Il y avait aussi des haricots, des graines de tournesol et des épis de maïs. Devant cette récolte généreuse, notre pensée a remonté très loin dans le temps, à l'époque des ancêtres de ceux qui ont été les premiers cultivateurs en Amérique : les Iroquoiens.

Les Iroquoiens ont beaucoup de choses à te raconter. Excellents cuisiniers et grands orateurs, ils vont t'emmener découvrir leurs coutumes, leurs valeurs et leurs traditions passionnantes. Au terme de cette épopée, tu feras connaissance avec les deux grandes communautés iroquoiennes du monde moderne : les Hurons-Wendats et les Mohawks.

Les jeunes Iroquoiens d'aujourd'hui portent en eux une histoire millénaire. Ils souhaitent conserver leur culture bien vivante, mais ils sont aussi habités par des projets d'avenir. Ils participent à la vie urbaine et sont ouverts sur le monde.

Nous souhaitons que tu apprennes à aimer ce peuple de tout ton cœur, comme nous, et pour toujours !

© AuntSpray / Shutterstock.com

© Sylvie Roberge

Pendant la dernière PÉRIODE GLACIAIRE, d'épaisses couches de neige recouvrent presque tout le Canada ainsi que la majeure partie de l'Europe et de l'Asie.

Seule la BÉRINGIE, à cause de son climat très sec, est épargnée par la glace.

Pendant plusieurs milliers d'années, des peuples sont venus s'y installer.

Il y a très longtemps
© Henri Vandelanotte / Shutterstock.com

Une longue migration

Pendant plusieurs milliers d'années, des peuples venus du Nord-Est de l'Asie s'installent en Béringie. C'est le début d'une longue migration.

Des traces de passage et d'activités humaines

En Ontario ainsi qu'à la frontière entre le Canada et les États-Unis, **les archéologues ont trouvé des objets enfouis dans la terre et des traces de passage des premières communautés iroquoiennes :** peignes d'andouiller*, outils de pierre polie, parures fabriquées à partir d'os et de coquillages... Au Québec, dans la région du Haut-Saint-Laurent, on a découvert des pointes de lance en silex taillé. Des traces d'activité humaine ont aussi été recueillies sur le territoire du Bas-Saint-Laurent et de la Gaspésie : pointes de projectiles, grattoirs, couteaux, outils utilisés pour la chasse et le traitement des peaux, ou encore burins servant à marquer, couper ou inciser le bois et les os.

Un pont terrestre

Le **détroit de Béring**, cet étroit bras de mer qui sépare l'Amérique du Nord de l'Asie, était autrefois une vaste étendue de toundra*. En effet, il y a 18 000 ans, le Canada était en partie couvert de glace et d'épaisses couches de neige. Les énormes glaciers qui gardaient l'eau prisonnière ont fait baisser le niveau des océans d'environ 120 mètres. Une bande de terre émergea de la mer et relia l'Amérique du Nord à l'Asie. Ce passage, appelé « pont terrestre de la Béringie », devint alors **une route de migration pour les animaux et... les humains.**

Les ancêtres des Iroquoiens

À mesure que les glaciers fondent, de nouveaux corridors terrestres s'ouvrent. Les gens les empruntent pour pénétrer à l'intérieur du continent.

Durant la période paléo-indienne*, les ancêtres des Iroquoiens arrivent dans une région qu'on appelle aujourd'hui le sud-ouest de l'Ontario. Ils sont peu nombreux et se déplacent constamment.

La chair de caribou est leur principale nourriture. Ils chassent aussi le renard arctique et le lièvre.

La naissance des premiers villages

Au fil des millénaires, la température se réchauffe progressivement et le territoire se transforme. Les mœurs des premiers peuples également.

Un réchauffement progressif

Durant la **période archaïque** (que les archéologues situent entre 7 500 et 900 ans avant notre ère), de nouvelles espèces animales commencent à peupler les forêts et les rivières. Le cerf remplace le caribou, forcé de migrer vers le nord. Au début de la **période sylvicole** (qui aurait débuté 900 ans avant notre ère), le climat ressemble de plus en plus à celui d'aujourd'hui, avec des étés tempérés et des hivers froids.

L'exploration du territoire et de ses ressources

Au printemps, pendant l'été et jusqu'à l'automne, les familles se regroupent dans des campements de pêche, au bord des rapides des rivières. L'hiver, elles se dispersent dans de plus petits campements, à l'intérieur du pays. **Ce nouveau mode de vie leur permet d'exploiter les ressources naturelles disponibles en fonction des saisons** : gibiers, poissons, plantes sauvages, noix et baies.

Les débuts de la poterie

La poterie fait son apparition. Les premiers objets fabriqués avec de l'argile sont des pots dont on se sert pour cuire et conserver les aliments. Avec le temps, les techniques se multiplient. On confectionne des vases en céramique ainsi que des pipes représentant des figures humaines ou animales.

L'apparition du village

Les premières habitations regroupées en village voient le jour. **Ce sont de longues maisons recouvertes d'écorce dans lesquelles habitent plusieurs familles.** Protégé par une palissade, le village demeure en place pendant une période de 20 à 50 ans. Lorsque les ressources locales sont épuisées et que les champs ne produisent plus, il est déplacé vers un nouveau site.

Au début du XVIe siècle, l'Iroquoisie est un immense territoire qui s'étend en partie dans deux actuelles provinces canadiennes, l'ONTARIO et le QUÉBEC, ainsi que dans le nord de ce qu'on appelle aujourd'hui l'État de New York. Lors des premiers contacts avec les Européens, environ 100 000 Iroquoiens vivent en IROQUOISIE.

Où ?	*Qui ?*	*Combien ?*	*À quel endroit ?*
En Ontario	**Les Wendats**	environ 30 000	au sud-est du lac Huron et au sud de la baie Georgienne
	Les Pétuns	environ 5 000	au sud de la baie Georgienne
	Les Neutres	environ 20 000	au nord du lac Érié
Au Québec	**Les Iroquoiens du Saint-Laurent**	environ 10 000	dans la vallée du Saint-Laurent
Aux États-Unis	**Les Cinq-Nations :** Agniers, Onnontagués, Tsonnontouans, Onneiouts, Goyogouins	environ 20 000	au sud du lac Ontario
	Les Ériés	environ 8 000	sur la rive sud du lac Érié
	Les Andastes	environ 7 000	le long de la rivière Susquehanna

Il y a moins longtemps

Les Iroquoiens du Saint-Laurent

Parmi toutes les nations iroquoiennes qui vivent dans la vallée du Saint-Laurent et à l'est des Grands Lacs, des groupes se distinguent par leur langue commune et leur culture. Ils occupent un vaste territoire qui s'étend sur plus de 700 kilomètres. Les archéologues les appellent les « Iroquoiens du Saint-Laurent ».

Un peuple semi-sédentaire

Les Iroquoiens pratiquent une agriculture basée sur le maïs.
Les hommes coupent les arbres et défrichent les champs. Ils chassent, pêchent et voyagent sans cesse pour faire du troc, participer à des activités guerrières ou entretenir de bonnes relations avec les autres nations. Les femmes se chargent des plantations, de l'entretien des champs, des récoltes et de la transformation du maïs en farine. Elles cultivent aussi les haricots, les courges, le tabac et le tournesol.

Les « trois sœurs »

Pour les Iroquoiens, le maïs, le haricot et la courge sont des plantes inséparables et porteuses de vie créées par la terre-mère pour nourrir ses enfants. Ils les appellent « kionhekwa », ce qui signifie : **les « trois sœurs ».** Voici comment ils racontent leur histoire :

Au tout début de la création, la Terre était recouverte d'eau. Une jeune femme nommée Aataentsic vivait dans le ciel. Un jour, elle partit chercher des plantes afin de guérir son époux qui était très malade. En route, elle glissa dans un trou du ciel et tomba dans le vide. Elle fut rattrapée de justesse par des oies, qui demandèrent conseil à la Grande Tortue. Celle-ci réunit tous les animaux. Ils décidèrent d'explorer le fond de l'océan pour trouver de la terre. Le castor, la loutre et le crapaud plongèrent à tour de rôle et rapportèrent de la boue tirée du fond de l'océan, que la Tortue façonna en forme d'île. Aataentsic s'y installa et donna la vie à un fils, ancêtre des Iroquoiens. Plus tard, elle eut une fille qui mourut après avoir donné naissance à des jumeaux : Iouskeha, qui remplit la terre de beauté, et Tawiscaron, qui ravagea tout sur son passage. Sur la tombe de la jeune mère, trois plantes sont apparues : le maïs, le haricot et la courge. Elles ont permis de nourrir les jumeaux et leur descendance.

Avantages de cultiver les « trois sœurs » ensemble

La **tige de maïs** sert de tuteur au haricot grimpant. Ses feuilles protègent les courges du vent, et du soleil. Le **haricot** fournit une sorte d'engrais naturel au maïs et à la courge. **Les feuilles de la courge** empêchent les mauvaises herbes de pousser et retiennent l'humidité. Sa tige et ses feuilles portent des épines qui la protègent des herbivores et, du même coup, protègent le maïs et le haricot.

Kanata

En 1535, deux jeunes Iroquoiens indiquent à **Jacques Cartier** le chemin pour se rendre à « kanata », en parlant de Stadaconé*. Cartier ignore qu'ils utilisent ce mot pour désigner un village. Croyant qu'il s'agit du nom de ce vaste territoire, **il baptise le pays du nom de « Canada ».**

Une mystérieuse disparition

Entre 1535 et 1542, **l'explorateur français Jacques Cartier a effectué plusieurs voyages au Canada**. Il a visité Hochelaga* où il a rencontré plusieurs Iroquoiens du Saint-Laurent. Il a aussi mentionné la présence de nombreux villages iroquoiens sur la rive nord du fleuve Saint-Laurent, dont celui de Stadaconé*. Une soixantaine d'années plus tard, Samuel de Champlain constate que les Iroquoiens du Saint-Laurent ont pratiquement disparu. De ces peuples, autrefois si nombreux, il ne reste alors plus que de petits groupes dispersés.

Que s'est-il passé entre 1542 et 1603 ? Ces groupes se sont-ils volontairement déplacés ? Ont-ils été victimes des maladies contagieuses apportées par les premiers Européens et contre lesquelles ils n'étaient pas immunisés* ? Le territoire qu'ils occupaient étant une zone convoitée pour le commerce des fourrures, des guerres entre nations ont-elles mené à leur extinction ?

Personne n'a encore réussi à élucider le mystère de la disparition des Iroquoiens du Saint-Laurent, car leur histoire n'est pas écrite dans les livres, mais dans le sol et dans les paysages. **Les archéologues sont néanmoins parvenus à reconstituer leur mode de vie grâce aux nombreuses traces qu'ils ont laissées de leur passage.**

Depuis 1995, une quinzaine de sites ont été identifiés à Saint-Anicet, dans le Haut-Saint-Laurent, dont trois villages majeurs : McDonald, Mailhot-Curran et Droulers/Tsiionhiakwatha. Ce dernier est considéré comme étant le chef-lieu de la province culturelle iroquoienne de Saint-Anicet.

Les Iroquois

Au temps de la Nouvelle-France, le nom « Iroquois » est utilisé pour désigner les nations qui habitent au sud du lac Ontario, dans ce qui est aujourd'hui la partie nord de l'État de New York.

Bravoure et courage

Les Iroquois sont de puissants guerriers qui ne craignent pas la mort. Ils l'affrontent avec bravoure et courage, car ils croient que la vie se poursuit après la mort et qu'elle est semblable à celle des vivants. Quand un membre de la communauté meurt, on l'enterre avec les objets qui lui appartiennent afin qu'il puisse s'en servir dans l'au-delà.

On ne connaît pas vraiment l'origine du mot « iroquois ». Une des hypothèses avance que ce nom leur aurait été donné par les Algonquiens parce que la fin des discours iroquois se terminait souvent par « hiro kone » qui signifie « je l'ai dit ». L'appellation correcte que ces peuples utilisaient pour se désigner eux-mêmes était « Kanienkehaka », qui signifie « peuple de l'emplacement du silex ».

La puissance des alliances

En 1650, les Tsonnontouans, les Onnontagués, les Goyogouins, les Onneiouts et les Agniers forment la plus puissante force politique en Amérique du Nord : **la Confédération des Cinq-Nations***. Les membres de la Confédération obéissent à la « gayanashagowa » ou « grande loi de l'unité ». Depuis le XIIe siècle, ils se transmettent oralement les codes de cette loi qui explique en détail comment résoudre les conflits, réaliser les échanges et conclure la paix. En 1722, une sixième nation, celle des Tuscaroras, se joint à la Confédération des Cinq-Nations qui devient alors celle **des Six-Nations.**

Les mystères de l'invisible

Comme leurs frères algonquiens, les Iroquois sont **animistes**. Ils sont convaincus que des forces surnaturelles se manifestent dans les êtres humains, les animaux, les plantes, mais aussi dans ce qui est inanimé, comme les pierres ou l'eau. Par conséquent, ils respectent la nature et veillent sur leur environnement.

Quand ils veulent gagner les faveurs des esprits, les Iroquois procèdent à différents rituels. S'ils veulent obtenir une bonne récolte de maïs, par exemple, ils organisent un festin et dansent en l'honneur de l'esprit présent dans le maïs. Pour apaiser les eaux tumultueuses d'une rivière, ils offrent du tabac à l'esprit de la rivière afin de pouvoir y pêcher.

La vie spirituelle des Iroquois est basée sur les visions et les rêves. Ceux-ci sont perçus comme une façon, pour les esprits, de communiquer avec les humains.
Pour interpréter les rêves, les Iroquois font appel au chaman.

Des chamans aux visages étonnants

Pour soigner le corps et l'âme, toutes les nations iroquoiennes font appel **aux pouvoirs des chamans.** Ceux-ci assurent le lien entre les hommes et les puissances invisibles de la nature.

Chez les Iroquois, les chamans forment un groupe de guérisseurs appelé la **Société des Faux-Visages.** Ce nom leur est attribué à cause des masques en bois qu'ils portent quand ils pratiquent des cérémonies.

Les traits des Faux-Visages sont inspirés par les rêves du chaman. Leurs yeux creux, leur bouche souvent tordue ainsi que leur nez énorme leur donnent un air effrayant. Ils sont peints et ornés de mèches de cheveux.

Sculpté à même le tronc d'un arbre vivant, le masque tire sa force de la terre. L'arbre est coupé uniquement lorsque la sculpture est achevée.

Les Faux-Visages ont le pouvoir de changer la température, de lutter contre le mauvais sort et de guérir. Le chaman chasse les mauvais esprits en soufflant des cendres sur le corps du malade. Ceux qui guérissent deviennent à leur tour membres de la Société des Faux-Visages.

Les Hurons

Jusqu'en 1649, les Wendats, dont le nom signifie « ceux qui vivent sur une île », occupent la Huronie. Ce territoire est situé sur la presqu'île de la baie Georgienne, au sud-est du lac Huron.

La fête des Morts

Agriculteurs et chasseurs, les Wendats sont aussi des guerriers aguerris, d'excellents diplomates* et des commerçants hors pair. Les premiers arrivants français qui les rencontrent les désignent sous le nom de Hurons. Les Hurons, comme les Iroquois, ont un profond respect pour la mort ainsi que pour l'esprit des personnes décédées. **Une grande fête, nommée « Okiweh », leur rend hommage.**

Ce sont les anciens qui décident du lieu où sera célébrée **la fête des Morts.** Le jour convenu, les habitants y apportent les ossements de leurs parents disparus, qu'ils ont nettoyés, lavés et enveloppés dans des peaux de castor.

On creuse une grande fosse et on la tapisse de peaux. Les ossements y sont déposés avec les cadeaux offerts aux morts. Après avoir recouvert la fosse de peaux, d'écorce et de morceaux de bois, on érige une clôture de pieux tout autour. La cérémonie se termine par un grand festin.

Le nom de « Huron » a été donné par les premiers arrivants Français à cause de la coiffure que portaient les hommes qu'ils rencontrèrent : une sorte de crinière rappelant la hure (ou tête) du sanglier femelle en France.

Le peuple de la maison-longue

Dans les villages iroquoiens, la vie et le travail se déroulent à l'intérieur et autour **des maisons-longues.** Chaque maison réunit plusieurs familles dont les femmes partagent des liens de parenté.

Les plus grandes maisons peuvent accueillir une centaine d'occupants. Les maisons-longues sont aussi des lieux de rencontre. On s'y réunit pour raconter des histoires et discuter de politique.

Les hommes bâtissent la charpente de l'habitation avec des pieux taillés dans des troncs d'arbre. Ils la recouvrent de plaques d'écorce attachées par des cordes de chanvre*.

À l'intérieur de la maison-longue

L'allée centrale est occupée par une rangée de foyers autour desquels les femmes préparent les repas. Deux familles se partagent chaque foyer et bénéficient de la chaleur du feu. Des ouvertures sont pratiquées dans le toit afin que la fumée puisse s'échapper. Les lits sont disposés de chaque côté de l'allée centrale. Des murs d'écorces séparent les familles. Au-dessus des lits et aux deux extrémités de la maison, près de chaque entrée, des espaces sont réservés au rangement de la nourriture et du matériel. **Les petits villages comptent cinq à quinze maisons-longues.** Les plus grands, comme celui d'Hochelaga*, en regroupent une cinquantaine, où vivent 1 000 à 2 000 habitants. Les villages sont entourés de palissades.

Le rôle des femmes

*Des clans et des totems**

Ce sont les liens de parenté entre les femmes qui unissent les membres d'un même clan.

Après le mariage, le mari s'installe dans la maison-longue de son épouse qui vit avec ses sœurs, sa mère et parfois sa grand-mère, ses grands-tantes et leurs familles. Les femmes et les enfants qui y habitent font tous partie du même clan, tandis que les hommes appartiennent au clan au sein duquel ils sont nés.

Chaque clan s'identifie à un totem*. L'emblème totémique est représenté dans une sculpture en bois peinte. Les membres du clan décorent souvent les objets qui leur appartiennent avec cet emblème : ours, loup, tortue, etc.
Le totem* est sacré. Chacun lui doit le respect.

Une nation peut regrouper une demi-douzaine de clans dispersés dans plusieurs villages. Tous les membres d'un clan et d'une lignée sont comme frères et sœurs, peu importe la maison-longue où ils habitent.

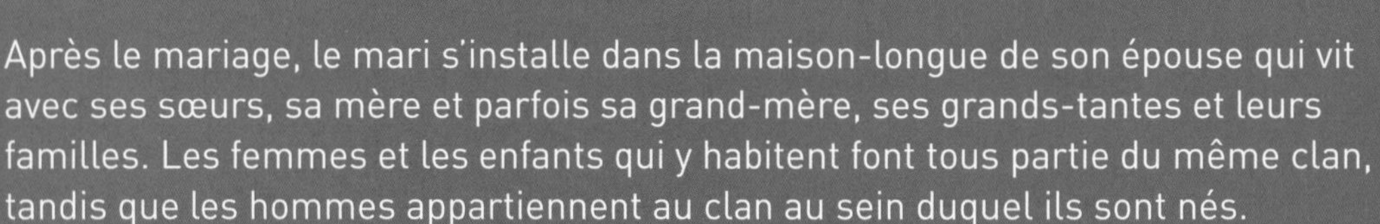

Le statut des mères est valorisé. Les enfants leur sont soumis. Elles sont responsables de leur éducation et exercent une forte autorité sur eux.

Les femmes âgées

Les connaissances et la sagesse des femmes âgées, mères de clan, sont très appréciées. Avant de déclarer la guerre ou d'entreprendre des négociations de paix, les hommes leur demandent conseil.
Ce sont **les mères de clans** qui nomment les chefs qui les représenteront aux conseils de village. Elles ont aussi le pouvoir de les relever de leurs fonctions si elles jugent qu'ils sont incompétents.

© Sylvie Roberge

L'importance des femmes

Bien avant l'arrivée des Européens, **les femmes occupent une place importante dans la société iroquoienne.** Leur savoir médical est reconnu. Elles participent aux débats religieux, aux discussions des hommes et elles ont le droit de vie ou de mort sur les prisonniers de guerre.

La terre et la maison appartiennent aux femmes. Elles cueillent les plantes, les herbes, les noix, les petits fruits, coupent et transportent le bois. Les tâches de préparation des peaux, de confection des vêtements, de fabrication des pots et des ustensiles, des pièges pour le petit gibier, des sacs et des paniers d'écorce leur reviennent.

© Sylvie Roberge

Le travail de la terre

La vie des Iroquoiens est marquée par le travail de la terre. Le partage des tâches s'effectue de façon égalitaire.

Le travail des champs

Les hommes fabriquent les outils qui servent aux travaux des champs. Ils abattent les arbres et nettoient le sol afin qu'il puisse être cultivé.

Dans la clairière, les femmes travaillent en groupe. Elles utilisent des fourches pour retourner la terre et des houes* pour creuser des sillons et former des petites buttes. Une « **maîtresse des champs** » distribue les semences. Le maïs, les haricots et les courges sont plantés côte à côte au sommet des buttes. Les femmes désherbent jusqu'à ce que les feuilles de courge soient assez grandes pour freiner la pousse des mauvaises herbes.

Au moment de la récolte, elles recueillent les épis de maïs dans des paniers d'écorce qu'elles portent sur leur dos. Elles peuvent aussi arracher les tiges en entier. Les épis sont suspendus tandis que les tiges sont empilées. Lorsque le maïs est séché, les femmes retirent les grains et les conservent dans de grands paniers ou des vases qu'elles rangent dans des fosses.

Outils et ustensiles de cuisine

Plusieurs matériaux servent à la fabrication des outils et des ustensiles dont se servent les Iroquoiens dans leur vie quotidienne. Les fourches, les houes*, les couteaux sont faits de **bois**, d'**os**, de **coquillages** ou de **pierre**.

Pour leurs tâches quotidiennes (la chasse et le combat), les hommes utilisent les **couteaux**. Les haches avec lesquelles ils abattent les arbres et coupent les branches ont des lames en pierre. La pierre sert aussi à fabriquer les mortiers avec lesquels les femmes broient les noix.

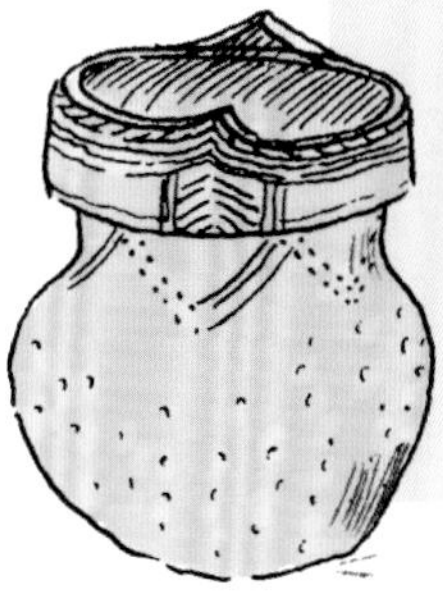

Les récipients de tous les jours sont fabriqués à partir d'écorce et de bois. Pour confectionner les poteries, les femmes mélangent des petites pierres ou des coquillages broyés à de l'argile. Les vases sont ensuite séchés au soleil puis cuites sur un feu d'écorce.

Des provisions en abondance

Si la terre exige beaucoup d'efforts, elle sait aussi être généreuse. Les Iroquoiens lui rendent grâce en toute saison.

Au rythme des saisons

Au printemps, **les Iroquoiens font bouillir l'eau d'érable jusqu'à ce qu'elle se transforme en délicieux sirop**. Celui-ci est conservé dans des contenants en écorce pour être savouré tout au long de l'été avec des baies sauvages : fraises, framboises, bleuets, canneberges et raisins. C'est une véritable célébration !
À l'automne, les Iroquoiens cueillent des fruits secs provenant de différents arbres : caryers, noyers, châtaigniers et chênes.
En septembre, ils font des provisions de riz sauvage, de graines de tournesol, de maïs, de haricot et de courge en prévision de l'hiver.
Tous les aliments qui sont séchés à l'automne pourront être bouillis ou grillés durant la saison froide.

Les festins ne manquent pas et tous les habitants des villages y participent !

La « sagamité »

Les femmes préparent la **« sagamité »**, une soupe constituée de la farine de maïs, de morceaux de courge, de viande ou de poisson. Elles cuisinent aussi un pain fait de farine de maïs mélangée à des haricots, des fruits séchés, des noix, des graines de tournesols et du gras de cerf. Le tout est enveloppé dans des feuilles de maïs et cuit dans des cendres brûlantes.

© Philip Rubino / Shutterstock.com

L'orignal, l'ours noir, le cerf, le wapiti, le castor, le lièvre, le rat musqué et l'écureuil figurent parmi les animaux qui fournissent de la viande. Les peaux de plusieurs d'entre eux sont utilisées pour fabriquer des vêtements et des chaussures. Le renard, la loutre et la marmotte sont aussi piégés pour leur fourrure. Les os servent à fabriquer des outils et plusieurs autres objets.

Au printemps et à l'automne, c'est la chasse aux oiseaux. Pigeons, canards, goélands, grues, perdrix, tourterelles, dindons et outardes* sont attrapés au collet, au filet ou à l'arc.

Comme le maïs, le poisson est l'un des aliments de base des Iroquoiens. De la mi-mars jusqu'à la fin de l'automne, les hommes pratiquent la pêche. Les cours d'eau regorgent de poissons : saumon, anguille, bar, brochet, carpe dorée, achigan, esturgeon, lamproie, truite et moule d'eau douce figurent parmi les prises convoitées.

La chasse et la pêche

Les hommes passent la plus grande partie de leur temps dans la forêt, notamment pour **chasser** et **pêcher.** Ils fabriquent les outils et les armes nécessaires pour que leurs expéditions soient fructueuses.

Les **collets**, des nœuds coulants faits de lanières de cuir, sont utilisés pour capturer le petit gibier. On s'en sert aussi pour piéger le cerf. **L'arc** est très grand. Taillé dans du bois de genévrier* durci au feu et muni d'une corde fabriquée avec du chanvre* ou un tendon, il a souvent la taille d'un homme. Les flèches mesurent 1 mètre de long. Leurs pointes sont faites de pierre, de bois, d'os ou de corne. **L'assommoir** est un piège conçu pour qu'au moment où l'animal saisit l'appât, un mécanisme fasse tomber une bûche qui l'assomme. Les filets sont tissés avec des cordes de chanvre* ou des fibres d'écorce d'arbres.

Pour pêcher, les hommes utilisent différentes techniques : un hameçon au bout d'une ligne lancée à l'eau, un harpon*, un filet dans lequel les poissons sont emprisonnés... **Les prises sont séchées et fumées en prévision de l'hiver.**

La nature au service de la vie quotidienne

Les Iroquoiens sont pleins de ressources. Ils utilisent avec brio les éléments de la nature pour mieux vivre au quotidien.

Des moyens de transport astucieux

Les Iroquoiens sont d'excellents marcheurs. Ils sont forts et endurants, mais lorsqu'ils doivent parcourir de longues distances, ils empruntent les cours d'eau et voyagent en **canot**. Ceux-ci sont fabriqués en écorce.

Même si le canot favorise les longs déplacements, des passages dangereux forcent parfois les hommes à « portager », c'est-à-dire marcher en transportant leur matériel sur leur dos. Ils utilisent alors des **courroies faites de fibres d'écorce tissées**, passées autour du front et de la poitrine. Cela leur permet de porter de très lourdes charges.

L'hiver, les Iroquoiens tirent de longs traîneaux de bois sur les surfaces enneigées. Pour empêcher que leurs pieds ne s'enfoncent dans la neige, **ils chaussent des raquettes qui leur permettent de se déplacer plus rapidement et plus facilement.**

La confection des vêtements

Les femmes iroquoiennes fabriquent les vêtements à partir **des peaux** et **des fourrures des animaux.**

Elles grattent les peaux pour enlever la viande et le gras. Elles les recouvrent ensuite d'un mélange de graisse de cervelle d'animaux ou d'œufs d'oiseau. Le cuir devient alors souple et très résistant.

Les peaux sont attachées à l'intérieur d'un cadre de bois où elles sont étirées et séchées. Elles sont ensuite boucanées au-dessus d'un feu afin de chasser les insectes et d'empêcher les moisissures. Le cuir prend une belle couleur dorée et se parfume d'une délicieuse odeur de fumée.

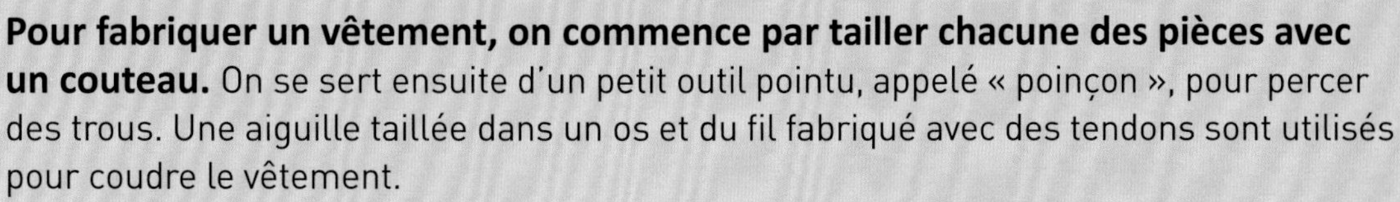

Pour fabriquer un vêtement, on commence par tailler chacune des pièces avec un couteau. On se sert ensuite d'un petit outil pointu, appelé « poinçon », pour percer des trous. Une aiguille taillée dans un os et du fil fabriqué avec des tendons sont utilisés pour coudre le vêtement.
On le décore avec des coquillages, des graines, des perles et des plumes. On peut aussi y broder des motifs avec des piquants de porc-épic ou des poils d'orignal teintés par des colorants à base de plantes.

La garde-robe iroquoienne

L'été, les hommes portent un **pagne**. Il s'agit d'une pièce de cuir rectangulaire qui couvre leurs hanches et leurs cuisses. Des **jambières** recouvrent le bas de leurs jambes, des genoux jusqu'aux chevilles. Ils sont chaussés de **mocassins**.

Les femmes sont vêtues de **jupes de daim** et vivent torse nu. Lors des cérémonies, des bonnets à plumes, des sacs en cuir et des pagnes frangés s'ajoutent à leur tenue.

L'hiver, hommes et femmes protègent leurs jambes contre le froid avec des pièces de cuir appelées **« mitasses »**. Des chemises et des robes en peau, des capes, des capuchons et des mitaines de fourrure leur tiennent chaud.

© Nancy S / Shutterstock.com

Troc, don et contre-don

Pour obtenir les matières premières et les biens qu'ils ne peuvent pas fabriquer sur leur terre ancestrale, les Iroquoiens pratiquent le troc.

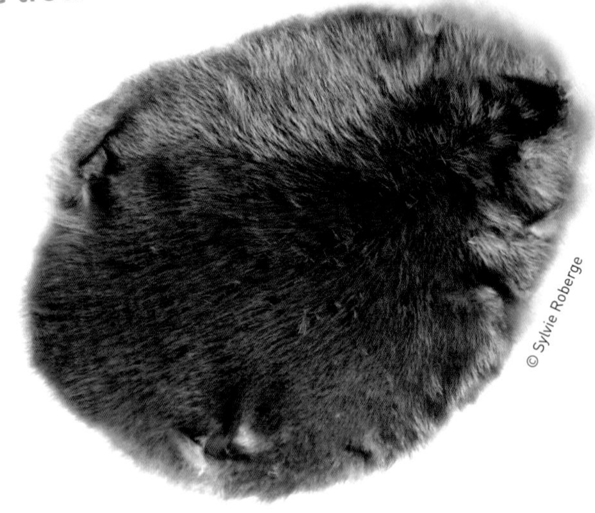
© Sylvie Roberge

Les foires d'échange

Les hommes se rendent dans **des foires d'échange** où ils rencontrent d'autres nations ou d'autres peuples. En échange de maïs séché, de poteries d'argile, de pipes et de tabac, ils obtiennent des fourrures, du cuivre, de l'écorce de bouleau, des coquillages marins ainsi que des « wampums » (ceintures). Ils peuvent aussi se procurer de solides canots d'écorce fabriqués par les Algonquiens.

Les Iroquoiens pratiquent aussi le rituel du don et du contre-don. Lorsqu'un clan offre un présent à un autre clan, celui-ci est tenu d'offrir quelque chose d'utile en échange. Ainsi, un service rendu à la communauté ou à un individu en particulier peut « revenir » sous une autre forme.

Une histoire de fourrures

Dès les premiers contacts entre Jacques Cartier et les Iroquoiens de la vallée du Saint-Laurent, **des échanges sont établis.**

À la fin du XVIe siècle, la plupart des nations pratiquent la traite des fourrures. Celles-ci sont très demandées en Europe. Les Iroquoiens les échangent contre haches, couteaux, poinçons, hameçons de fer, bouilloires de cuivre, couvertures de laine, chemises de lin, bijoux, perles de verre et armes à feu.

Ainsi équipés de ces fournitures européennes, ils entrent peu à peu dans la modernité.

De grands bouleversements

Dès 1608, Samuel de Champlain commerce avec les Hurons. Il leur procure des biens, de la nourriture et des armes à feu. Il les incite à se convertir à la foi catholique, en échange de quoi, il les aide à guerroyer contre leurs ennemis iroquois.

Les guerres et les épidémies successives font de nombreuses victimes parmi les Iroquoiens. En 1636 et en 1639, deux épidémies déciment les villages hurons.

En 1640, la population de la Huronie est réduite au tiers lorsque la majorité des villages hurons tombent aux mains de leurs ennemis, les Iroquois.

En 1650, la défaite est totale, la Huronie n'existe plus. Les survivants se dispersent parmi les autres nations iroquoiennes. Certains s'enfuient chez les Pétuns.

Quelques 500 Hurons catholiques quittent la baie Georgienne et trouvent refuge près des Français, à Québec. Certains vont temporairement séjourner sur l'île d'Orléans. D'autres s'installent à Sillery avant de se fixer définitivement, en 1697, sur le site actuel de Wendake.

Si Montréal a été fondée en 1642 par Paul de Chomedey, sieur de Maisonneuve, Québec a été fondée en 1608 par Samuel de Champlain. À l'origine, les Algonquiens nommaient ce territoire « kebek », qui signifie « là où le fleuve rétrécit ».

Ces dernières années, les Mohawks, descendants des Iroquoiens, ont repris en charge de nombreux secteurs de leurs activités sociales et communautaires. Ils en assument la pleine responsabilité selon leurs valeurs et leurs croyances. Leurs écoles, dont la SURVIVAL HIGH SCHOOL, offrent un enseignement qui intègre divers aspects de leur culture.

De nos jours

Les jeunes Mohawks

Les jeunes en ont assez des préjugés. Ils se tournent vers l'engagement et l'action pour faire bouger leur communauté. Ils veulent étudier, travailler, participer aux changements. Artistes peintres, écrivains, sculpteurs, journalistes... tous s'activent pour engager le dialogue et provoquer des changements.

S'ouvrir sur le monde

En 1993, le **Forum jeunesse de Kahnawake** a été un tremplin pour les jeunes Mohawks, en leur permettant de partager leurs besoins ainsi que leurs rêves d'avenir, de comprendre le monde pour s'y faire une place.

Les adolescents mohawks d'aujourd'hui sont modernes. Ils utilisent les réseaux sociaux, font entendre leur voix et veulent devenir des leaders.

Les jeunes lancent un appel, celui d'**une nouvelle identité publique**, ouverte sur le monde et positive. Ils s'engagent dans des projets personnels qui leur donnent des ailes. Ils imaginent des solutions et inventent une nouvelle façon de vivre leur culture qui passe par l'apprentissage de la langue maternelle. C'est une priorité afin qu'ils puissent mieux comprendre qui ils sont, et d'où ils viennent. Mais les mots ne suffisent pas, il faut aussi passer à l'action.

Étudier et travailler

L'Akwesasne Freedom School a été fondée par la communauté mohawk afin de plonger les élèves au cœur de leur culture et de leur langue. Certains jeunes qui ont suivi le parcours proposé par cette école indépendante se classent parmi les meilleurs étudiants dans les écoles publiques. Ils réussissent à faire des études universitaires, occupent des emplois importants et deviennent des chefs de file. Ce sont des guerriers d'un nouveau genre : des citoyens mohawks du monde moderne.

Hors de leur milieu ?

Les jeunes qui partent étudier à l'extérieur de Wendake se spécialisent dans différents domaines : sport, loisirs, enseignement, administration, affaires, finance, culture, tourisme, etc.

La proximité de la ville de Québec leur donne accès à une grande variété d'activités et d'expériences enrichissantes. Ils ont aussi la possibilité de faire carrière dans un milieu non autochtone*. **Néanmoins, plusieurs d'entre eux reviennent dans leur communauté pour y travailler.**

Partager son histoire et sa culture

La jeunesse amérindienne est en effervescence. Les jeunes Hurons-Wendats et Mohawks sont l'avenir de leurs communautés et du monde. **Ils portent en eux une histoire millénaire qui ne les quitte jamais, mais ils sont aussi habités par des projets d'avenir bien vivants.** Ils sont le pont, le lien entre les traditions et le futur.

Les Hurons-Wendats

Le dynamisme d'un peuple

Les Hurons-Wendats font partie des autochtones* les plus urbanisés du Québec. En 2009, 1300 d'entre eux vivaient à Wendake, alors que 1 700 habitaient à l'extérieur du village. Tous ont adopté le français comme langue d'usage, au détriment de leur langue maternelle. Les Hurons-Wendats sont aussi les Amérindiens d'Amérique du Nord les plus connus. Au fil du temps, des rois, des reines, des politiciens, des diplomates* et de grandes vedettes sont venus rencontrer les chefs qui ont dirigé Wendake. Parmi ces chefs, le réputé **Max Gros-Louis,** personnage aujourd'hui légendaire, a beaucoup contribué à faire connaître son peuple à travers le monde.

À Wendake, les Hurons-Wendats ont développé un cadre de vie dynamique, prospère et ouvert à la modernité, tout en restant fidèles à leurs racines. La municipalité comprend un secteur historique récemment mis en valeur, un quartier résidentiel et une zone industrielle. Le tourisme constitue un apport économique très important. Wendake se démarque par de nombreux attraits qui valorisent un patrimoine culturel d'une très grande originalité: fêtes culturelles, musées, églises historiques, villages traditionnels de maisons-longues, boutiques, restaurants ainsi qu'une librairie spécialisée dans la vente de livres qui traitent de l'histoire des Amérindiens.

Le métissage

Wendake est, depuis toujours, un carrefour des nations, un important lieu de rencontre pour le commerce, les affaires et la diplomatie. Des Amérindiens de toutes les nations y habitent en permanence ou temporairement pour travailler ou fréquenter des écoles de la grande région de Québec.

Le mélange des cultures et des idées fait partie du mode de vie des Hurons-Wendats depuis très longtemps. Ils ont toujours été en contact avec les Québécois, ce qui a très certainement favorisé leur ouverture d'esprit et leur capacité à s'adapter aux autres.

De nombreuses générations d'enfants sont nées de mariages entre les Hurons et les Innus, ainsi qu'entre les Hurons et les Québécois.

À notre époque, où les connaissances circulent partout sur la planète, l'ouverture sur le monde est une question de survie pour la jeunesse wendate. Cette ouverture est fortement encouragée par tout un chacun.

Lexique

Andouiller :
ramification des bois de cerf.

Autochtone :
désigne quelqu'un qui habite le territoire de ses ancêtres.

Chanvre :
plante dont la tige est utilisée dans la fabrication de textile.

Confédération des Cinq-Nations :
Cette organisation politique et militaire permet de défendre et de contrôler les territoires des Cinq-Nations en cas de guerre.

Diplomate :
personne chargée de représenter son pays auprès d'une nation étrangère.

Genévrier :
cèdre rouge.

Harpon :
outil muni d'un crochet qu'on utilise pour pêcher les gros poissons.

Hochelaga :
mot qui signifie « lieu où il y a des rapides ». Ce village était situé à l'emplacement de l'actuelle ville de Montréal.

Immunisé :
capable de se protéger d'un virus ou d'un microbe.

Outarde :
au Québec, c'est le nom qu'on donne à la bernache, une oie sauvage.

Totem :
le totem est un ancêtre mythique animal ou végétal. Il peut aussi être un parent très lointain.

Toundra :
formation végétale des régions de climat froid. Elle comprend de la mousse et des lichens.

Stadaconé :
nom qui signifie « en bas de la côte ». Ce village iroquoien dont on ne connaît pas l'emplacement exact se trouvait dans les environs de l'actuelle ville de Québec.

Les acteurs du livre

Michel Noël

Michel Noël, né d'un père et d'une mère d'origine algonquine, a été élevé sur de vastes territoires près des communautés autochtones. Il est aujourd'hui un romancier, un conteur, un poète et un dramaturge québécois. Par sa production littéraire, ses rencontres avec les jeunes et les communautés autochtones, Michel Noël transmet l'amour de l'histoire, la fierté du patrimoine et des traditions.

Jean-Louis Fontaine

Ethnohistorien innu, il effectue un doctorat qui porte sur le retour des pratiques spirituelles au sein des communautés innues. Chercheur, auteur, conférencier vulgarisateur, il se veut porte-parole de l'histoire et du patrimoine de son peuple.

Josée Laflamme

Ethnologue, détentrice d'une maîtrise en ethnologie, sa rencontre avec Jean-Louis la réoriente vers la recherche autochtone. Communicatrice, passionnée du patrimoine, elle transmet par les mots, dits et écrits, toute la richesse des Premiers Peuples.